이건 요요야.

1

2

3

4

요요

글 김미혜 그림 차선희

고옥공동체벗

선생님과 학부모님께

이 그림책은 초기 문해력 교육을 위한 수준 평정 그림책입니다.
아이의 읽기 행동을 관찰하고 기록한 결과를 바탕으로 아이의 눈높이에 맞는
책을 골라 주세요. 아이 스스로 책을 선택할 수 있게 해 주시면 더 좋아요.
그리고 가정과 학교에서 아이와 함께 안내된 읽기를 해 주세요.
이 책에는 한글의 여섯 번째 모음 'ㅛ'가 들어간 '요요'라는 낱말이
반복해서 나옵니다. 책을 읽으면서 요요를 가지고 놀았던 경험이 있는지
아이와 이야기를 나눠 보세요. 2쪽에 나오는 그림 속 아이의 동작을
말로 표현해 보고, 가정이나 학교에 요요가 있다면 동작을
따라 해 봐도 좋아요. 8쪽의 요요를 색칠하고 다양한 색에 대해
이야기를 나누면서 어휘와 사고를 확장할 수도 있습니다.

요요는 장난감이야.

요요는 색이 여러 가지야.

빨간색 요요

파란색 요요

노란색 요요

보라색 요요

색칠해 볼래?

이 책은 _____ 의 것입니다.

요요

© 김미혜, 차선희, 2025

2025년 11월 3일 처음 펴냄

글쓴이 김미혜 | **그린이** 차선희 | **편집** 이진주 | **디자인** 더디앤씨 | **인쇄** 보명C&I | **제작** 세종PNP
펴낸이 김기언 | **펴낸곳** 교육공동체 벗 | **이사장** 오정오 | **사무국** 최승훈, 설원민, 공현
출판등록 제2011-000022호(2011년 1월 14일) | **주소** (03998) 서울시 마포구 월드컵북로7길 76-12 102호
전화 02-332-0712 | **전송** 0505-115-0712 | **홈페이지** communebut.com

ISBN 978-89-201-0 67700
ISBN 978-89-195-2(세트)

요요	BFL	0
	어절 수	18

값 2,300원

사용 연령
6세 이상

ISBN 978-89-6880-201-0
ISBN 978-89-6880-195-2 (세트)